KB171645

32개국150종의 자동차 로고

세계의 자동차 로고

이단 박창수 지음

목차

목차

목차

세계의
자동차
로고

대한민국

현대	기아	제네시스	르노삼성	쌍용

현대자동차   기아   제네시스

KG모빌리티   르노코리아자동차   한국GM

미국

쉐보레	캐딜락	뷰익
GMC	포드	링컨
크라이슬러	지프	닷지
RAM	프레이트라이너	웨스턴 스타
켄워스	피터빌트	테슬라

셸비

살린

헤네시

DMC

롤즈타운

드라코

캘러웨이

에쿠스

카르마

루시드 모터스

리비안

스파르탄 ERV

SCG

나비스타 인터내셔널

RTR

영국

롤스로이스

미니

랜드로버

재규어

벤틀리

복스홀

애스턴 마틴

맥라렌

로터스

TVR

MG

노블

브라밤

케이터햄

모건

지네타

레디컬

제노스

일본

토요타	렉서스	다이하츠
히노	스바루	스즈키
닛산	인피니티	닷선
미쓰비시	혼다	아큐라
마쓰다	미쯔오카	이스즈
미쓰비시 후소	UD 트럭	GLM

독일

메르세데스-벤츠

MAYBACH

메르세데스-마이바흐

스마트

BMW

OPEL
오펠

RUF

폭스바겐

아우디

포르쉐

MAN

apollo
굼페르트-아폴로

보르그바르트

이탈리아

피아트   마세라티   란치아

아바스   알파 로메오   페라리

람보르기니   드 토마소   파가니

마잔티   스파다   이베코

중국

상하이자동차

지리자동차

체리자동차

둥펑

디이자동차

창안자동차

프랑스

르노

알핀

푸조

시트로엥

DS 오토모빌

부가티

캐나다

HTT

콘퀘스트

펠리노

라이언 버스

프레보스트

TAV

스페인

스파니아 GTA   이스파노 수이자   이리사르

트라몬타나   쿠프라   세아트

스웨덴

볼보 폴스타 볼보트럭

코닉세그 스카니아 NEVS

체코

스코다

타트라

러시아

카마즈

아우루스

라다

루마니아

다치아

네덜란드

DAF   스파이커   돈커부트

인도

마힌드라

타타자동차

마루티 스즈키

오스트리아

KTM

로젠바우어

멕시코

VŪHL

VUHL

튀르키예

토그

호주

홀덴

베트남

빈패스트

크로아트아

리막

리히텐슈타인

나노플로우셀

덴마크

젠보

아랍에미리트

W모터스

폴란드

솔라리스

불가리아

SIN 자동차

벨라루스

MAZ

모나코

VENTURI

벤추리

스위스

피예히

케냐

모비우스

말레이시아

페로두아

프로톤

자동차 로고의 생성 이유

자동차 로고는 다양한 이유로 생성되었습니다.

자동차 제조사는 자사의 브랜드를 쉽게 인식할 수 있도록 하기 위해 로고를 사용합니다. 로고는 회사의 정체성을 나타내며, 소비자가 해당 브랜드를 기억하고 쉽게 식별할 수 있도록 도와줍니다. 또한 로고는 각 자동차 브랜드를 다른 브랜드와 구별해줍니다. 독특한 로고를 통해 각 회사는 자사의 제품을 시장에서 다른 제품과 차별화할 수 있습니다. 잘 알려진 로고는 소비자에게 신뢰성과 품질을 상징합니다. 오랜 시간 동안 좋은 평판을 쌓아온 브랜드의 로고는 그 자체로 소비자에게 신뢰를 줍니다. 로고는 단순한 마크 이상의 의미를 지닙니다. 각 브랜드는 로고를 통해 자사의 디자인 철학과 비전을 전달하려고 합니다. 로고는 브랜드의 역사와 가치를 반영하기도 합니다. 마지막으로 로고는 마케팅과 광고에서 중요한 역할을 합니다. 효과적인 로고는 소비자의 관심을 끌고, 브랜드를 홍보하는 데 도움이 됩니다. 이와 같이 자동차 로고는 단순히 장식이 아닌, 브랜드의 핵심 요소로서 다양한 목적을 가지고 있습니다.

자동차를 생산하는 주요 국가

자동차를 생산하는 주요 국가들에 대해 다음과 같이 설명할 수 있습니다.

미국은 포드, 제너럴 모터스(GM), 테슬라 등 세계적으로 유명한 자동차 제조사들이 있습니다. 특히 포드는 대량 생산 기법을 도입하여 자동차 산업에 큰 영향을 미쳤습니다.

일본은 토요타, 혼다, 닛산, 마쓰다, 스바루 등 많은 글로벌 자동차 브랜드가 있습니다. 일본 자동차는 품질과 내구성으로 유명하며, 하이브리드 및 전기차 기술에서도 앞서가고 있습니다.

독일은 BMW, 메르세데스-벤츠, 아우디, 폭스바겐, 포르쉐 등의 브랜드가 있으며, 고급차와 스포츠카 분야에서 뛰어난 기술력을 자랑합니다. 독일 자동차는 고성능과 혁신적인 기술로 잘 알려져 있습니다.

중국은 최근 몇 년간 급성장한 자동차 산업을 가지고 있으며, 지리, BYD, 샤오펑 등의 전기차 제조사들이 주목받고 있습니다. 중국은 세계 최대의 자동차 시장 중 하나로 자리잡았습니다.

한국은 현대자동차와 기아자동차가 주요 제조사로, 품질과 가성비를 강조한 차량을 생산합니다. 한국은 또한 전기차 및 자율주행차 기술 개발에도 적극적입니다.

인도는 타타 모터스, 마힌드라 등이 있으며, 가격 경쟁력을 갖춘 차량을 생산하여 내수 시장과 수출 시장 모두에서 성장하고 있습니다. 인도는 또한 소형차와 경제적인 차량 생산에 강점을 가지고 있습니다.

프랑스는 푸조, 시트로엥, 르노 등의 브랜드가 있으며, 유럽 내에서 중요한 자동차 제조국 중 하나입니다. 프랑스 자동차는 스타일과 효율성을 강조합니다.

이탈리아는 페라리, 람보르기니, 피아트 등의 브랜드가 있으며, 특히 스포츠카와 럭셔리카 분야에서 세계적인 명성을 얻고 있습니다. 이탈리아 자동차는 디자인과 성능에서 독보적입니다.

영국은 롤스로이스, 벤틀리, 재규어, 랜드로버 등의 브랜드가 있으며, 고급차와 럭셔리 SUV 생산에 주력하고 있습니다. 영국 자동차는 정교한 디자인과 고급스러움으로 유명합니다.

스페인은 세아트(SEAT)가 대표적인 자동차 브랜드로, 폭스바겐 그룹의 일원입니다. 스페인은 유럽 내에서 자동차 부품 생산에서도 중요한 역할을 하고 있습니다.

브라질은 폭스바겐, 피아트, 제너럴 모터스 등의 다국적 기업이 현지 생산을 하고 있으며, 남미 최대의 자동차 시장 중 하나입니다.

러시아는 라다(Lada) 브랜드가 있으며, 국내 시장을 중심으로 한 자동차 생산이 이루어집니다. 러시아는 또한 유럽과 아시아를 잇는 물류 거점으로서의 역할도 합니다.

멕시코는 포드, 제너럴 모터스, 폭스바겐 등 주요 자동차 제조사의 생산 기지가 있으며, 북미 시장을 겨냥한 자동차 생산이 활발합니다.

캐나다는 포드, 제너럴 모터스, 피아트 크라이슬러 등의 제조사가 있으며, 미국과의 무역 관계를 통해 북미 자동차 산업에 중요한 역할을 합니다.

태국은 동남아시아의 주요 자동차 생산 허브 중 하나로, 토요타, 혼다, 닛산 등의 제조사가 현지 생산을 하고 있습니다.

터키는 포드, 피아트, 르노 등의 브랜드가 있으며, 유럽과 중동을 잇는 자동차 생산 및 수출 거점으로서 중요한 위치를 차지하고 있습니다.

체코는 스코다(Skoda)가 대표적인 브랜드로, 폭스바겐 그룹의 일원입니다. 체코는 유럽 내 자동차 생산에서 중요한 역할을 하고 있습니다.

슬로바키아는 폭스바겐, PSA 그룹, 기아 자동차 등의 제조사가 있으며, 자동차 생산이 경제의 큰 부분을 차지하고 있습니다.

말레이시아는 프로톤(Proton)과 페로두아(Perodua) 등이 주요 자동차 제조사로, 내수 시장과 수출 시장을 모두 겨냥한 자동차 생산이 이루어집니다.

인도네시아는 토요타, 혼다, 다이하쓰 등의 브랜드가 현지 생산을 하고 있으며, 동남아시아의 중요한 자동차 생산 기지 중 하나입니다.

북한도 자동차를 생산한다 ???

북한도 자동차를 생산하고 있습니다. 북한의 주요 자동차 제조사는 평양자동차공장과 같은 국영 기업들입니다. 이들 기업은 주로 군용 차량, 상용 트럭, 버스, 승용차 등을 생산합니다. 북한에서 생산되는 자동차는 주로 내부 사용을 목적으로 하며, 외국에 수출되는 경우는 드뭅니다. 북한의 자동차 산업은 제한된 자원과 기술력으로 인해 규모가 크지 않으며, 주로 기본적인 차량 생산에 집중하고 있습니다.

미래의 자동차와
미래의 자동차 검사

미래의 자동차

미래의 자동차는 여러 혁신적인 변화와 발전을 통해 현재와는 상당히 다른 모습을 보일 것입니다.

자율주행 기술의 발전으로 인해 운전자가 필요 없는 완전 자율주행 차량이 보편화될 것입니다. 이러한 차량은 센서, 카메라, 인공지능을 통해 도로 상황을 실시간으로 분석하고 안전하게 주행할 수 있습니다. 자율주행차는 교통사고를 줄이고 교통 흐름을 최적화하는 데 큰 역할을 할 것입니다.

전기차(EV)와 수소차 같은 친환경 차량이 내연기관 차량을 대체할 것입니다. 배터리 기술의 발전으로 전기차의 주행 거리가 늘어나고 충전 시간이 단축될 것입니다. 또한 수소 연료 전지 기술도 발전하여 장거리 주행에 적합한 차량이 증가할 것입니다.

차량 공유 서비스와 모빌리티 서비스가 더욱 확대될 것입니다. 사람들이 차량을 소유하기보다 필요할 때마다 빌려 쓰는 형태의 서비스가 증가할 것입니다. 이는 도시 내 교통 혼잡을 줄이고 주차 공간 문제를 해결하는 데 도움이 될 것입니다.

차량 간(V2V) 및 차량 인프라(V2I) 통신 기술이 발전하여, 차량이 서로 및 주변 인프라와 정보를 실시간으로 공유함으로써 더욱 안전하고 효율적인 주행이 가능해질 것입니다. 이는 사고를 예방하고 교통 체증을 줄이는 데 기여할 것입니다. 차량의 디자인과 기능도 변화할 것입니다. 자율주행차의 내부는 운전석이 필요 없기 때문에, 승객

의 편안함과 엔터테인먼트를 위한 공간으로 재구성
될 것입니다. 또한, 차량은 스마트홈과 연계되어 다
양한 IoT 기기와 상호작용할 수 있을 것입니다.

결론적으로, 미래의 자동차는 자율주행, 친환경 기술,
공유 경제, 첨단 통신 기술 등 다양한 혁신을 통해 현재
보다 더 안전하고 편리하며 환경 친화적인 형태로 발전
할 것입니다.

*IoT 장치란 '사물 인터넷(Internet of Things)' 기
술을 활용하여 인터넷에 연결되어 서로 통신하고 데이
터를 주고받을 수 있는 장치를 말합니다. 이러한 장치
는 센서, 소프트웨어, 기타 기술을 내장하고 있어, 데이
터를 수집하고 공유하며, 원격으로 제어할 수 있습니다.

IoT 장치는 가정, 산업, 도시, 의료 등 다양한 분야
에서 사용됩니다. 예를 들어, 스마트 홈에서는 온
도 조절기, 조명, 보안 카메라, 가전제품 등이 IoT 장
치로 사용됩니다. 이러한 장치들은 사용자의 스마
트폰이나 다른 IoT 장치와 연결되어 원격으로 제
어되고, 사용자에게 실시간 정보를 제공합니다.

또한, IoT 장치는 공장 자동화, 물류 관리, 교통 시
스템, 헬스케어 등의 분야에서도 중요한 역할을 합
니다. 산업용 IoT 장치는 기계의 상태를 모니터링
하고, 예방 정비를 수행하며, 생산성을 향상시키는
데 기여합니다. 의료 분야에서는 환자의 건강 상태
를 지속적으로 모니터링하고, 의료진에게 실시간 데
이터를 제공하여 더 나은 치료를 가능하게 합니다.

결론적으로, IoT 장치는 인터넷을 통해 서로 연결되고
데이터를 주고받음으로써 다양한 분야에서 효율성을
높이고, 사용자에게 더 많은 편리함과 혜택을 제공합니
다.

미래의 자동차 검사의 방향

미래의 자동차 검사의 방향은 다음과 같은 혁신적인 변화를 통해 발전할 것입니다.

첫째, 디지털화 및 자동화입니다. 차량 검사 과정은 더욱 디지털화되고 자동화될 것입니다. 이는 정밀한 센서와 인공지능을 통해 차량의 상태를 실시간으로 모니터링하고 진단하는 시스템이 도입될 것을 의미합니다. 이러한 시스템은 정기적인 검사 주기 외에도, 차량의 상태를 지속적으로 점검하여 이상 징후를 조기에 발견하고 문제를 예방할 수 있게 합니다.

둘째, 원격 진단 기술의 발전입니다. 자동차는 점점 더 많은 IoT 기기와 연결되며, 원격 진단이 가능해질 것입니다. 이를 통해 차량 소유자는 정비소를 방문하지 않고도 온라인으로 차량의 상태를 점검받고 필요한 조치를 취할 수 있습니다. 이는 시간과 비용을 절감하고 편리성을 높이는 데 기여할 것입니다.

셋째, 환경 규제 강화에 따른 검사 항목의 확대입니다. 친환경 차량의 증가와 함께 배출가스와 관련된 검사가 더욱 중요해질 것입니다. 전기차와 수소차의 배터리 상태, 충전 시스템의 안전성 등 새로운 검사 항목이 추가될 것입니다. 또한, 기존 내연기관 차량의 배출가스 검사도 더욱 엄격해질 것입니다.

넷째, 데이터 기반 분석의 활용입니다. 검사 과정에서 수집된 데이터는 빅데이터와 AI 분석을 통해 차량의 성능과 안전성을 평가하는 데 활용될 것입니다. 이를 통해 개인 차량뿐만 아니라, 전체 차량 운행 시스템의 효율성을 높이고 문제를 사전에 예측하고 해결할 수 있을 것입니다.

다섯째, 모바일 검사 서비스의 확대입니다. 정비소를 방문하지 않고도 모바일 차량 검사 서비스를 통해 집이나 직장에서 편리하게 검사를 받을 수 있는 서비스가 확대될 것입니다. 이는 바쁜 일상 속에서도 정기적인 차량 검사를 받을 수 있도록 도와줄 것입니다.

결론적으로, 미래의 자동차 검사는 디지털화, 원격 진단, 환경 규제 강화, 데이터 분석, 모바일 서비스 등 다양한 혁신을 통해 더욱 정밀하고 효율적이며 편리한 방향으로 발전할 것입니다. 이러한 변화는 차량 소유자의 안전을 높이고 환경 보호에 기여하며, 전체 자동차 운행 시스템의 효율성을 극대화할 것입니다.

세계의 자동차 로고

발　행 | 2024년 07월 29일
저　자 | 박창수
펴낸이 | 한건희
펴낸곳 | 주식회사 부크크
출판사등록 | 2014.07.15.(제2014-16호)
주　소 | 서울특별시 금천구 가산디지털1로 119
　　　　SK트윈타워 A동 305호
전　화 | 1670-8316
이메일 | info@bookk.co.kr

ISBN | 979-11-410-9777-6
www.bookk.co.kr
ⓒ 박창수 2024